영일에서

영일에서

발행 | 2024년 05월 13일
저자 | 천태인
펴낸이 | 한건희
펴낸곳 | 주식회사부크크
출판사등록 | 2014.07.15(제2014-16호)
주소 | 서울특별시금천구가산디지털1로 119 SK트윈타워 A동 305호
전화 | 1670-8316
이메일 | info@bookk.co.kr
ISBN | 979-11-410-8475-2
www.bookk.co.kr

영일

에서

천태인 지음

목차

머리말 6 & 01유강에서 7

02영일에서 43

배우는 것에 지친 당신에게

가만히 서 있어도 피곤한 당신에게
이제는 그저 모르고픈 당신에게
아무 말도 하고 싶지 않은 당신에게
이 책을 받칩니다.

어쩌면 그 당신은 저일지도 모르겠습니다
저는 아는 것에 지쳐갈 때마다
저만이 아는 걸 만들어내곤 했습니다
그게 바로 시입니다.

여러분들께 저만이 알고 있던 비밀을
이제 공유해 드릴게요.

*주제가 일관되지 않아
읽기에 혼동이 있을 수 있다는 점을
주의해 주시길 바랍니다.

01

담배

수많은 배 중에
담배라는 배가 있다

저마다의 사연이 있는
엄청난 수의 선원을 싣고
오늘도 담배는 출항을 한다

나가고 싶어도 쉽게 나갈 수 없는 배
퀴퀴한 냄새가 나고
어두운 연기가 나는 배

이 배는 머지않은 날
요단강을 건너 종착지인
저승에 도착할 것이다

알아야 걸리는 병

알아야 걸리는 병이 있다

그 병은 지독해서
걸린 사람들의 마음을 지배해 버린다

병에 걸린 사람들은
모르는 사람들에게
강제로 알려주고는
병에 걸렸다며 덮어씌운다

그런 병 따위는 알고 싶지 않은
애꿎은 사람들을
비웃고 있다

알고 있는 사람들끼리
싸워대라
모르는 사람들은
관심조차 없으니

탑

멀지 않고 바로 앞. 가까운 곳에
순해 보이는 양들이 모여있길래
무슨 일 인가 하여 들여다보니
다름이 아니라 울타리를 짓고 있다

뭐가 그렇게 불만인지
뭐가 그렇게 불행한지
누가 울타릴 높이 쌓나 겨루고 있다

아주 희고 온순해 보였는데
결국 그 흰색도
다른 사람들이 원하는 것이었나

양들은 계속해서 울타리를 짓겠지
울타리는 결국 거대한 탑이 되겠지
양들은 탑 안에 갇혀
자신들이 개구리인지도 모른 채
탑 안 떠도는 진실, 애써 외면하고
탑 밖의 수많은 평화만을 찾겠지

그림자

해와 함께 있으면
해의 빛이 비쳐
내 그림자가 보인다

조금씩 가까워질수록
그림자는 점점 커져가고
나의 마음은 점점 작아진다

난 것 중에 그림자 없는 것 있을까
모두들 어두운 면 들키지 않으려
해를 두려워하고
그 해에는 그림자 없어 보이지만
더 큰 빛엔 결국 그림자가 생기는데

바느질

바느질을 하다 보면
가끔 실이 엉킬 때 있다

그럴 때에는
단호하게 가위로
엉킨 부분을 잘라야 한다

그런데 우린
지금까지 꿰매 왔던 것이
전부 물거품이 될까 봐
실 앞에선 단호하게, 서슴없이 못한다
엉킨 부분 실 풀어내
다시금 그 부분부터 이어가고 있다

천천히 풀어내다가
실은 더 엉킬 수도 있고
조금 더 시간이 걸린다는 것을
간과해 버린 채

때로는 포기해야 할 때 있다

엉킨 실들을
전부 안고 갈 수는 없으니
답도 없이 엉켜져 버린
형형색 실들에게
내 마음도 엉켜질 수도 있으니

결국에 잘라내는 것은
제 몫이라 할지어도
자르지 않고서야
바느질을 지을 수 없다는 사실만은
기억하며 실을 풀어 가자

스마트폰

불을 꺼야지 보이는 세상

스마트폰 안은 넓고도 답답했으며
세상 밖은 좁고도 광활하였다

불을 끄고 쳐다본 이 세상은
오늘따라 아름다워 보여
내 마음은 훨훨 날아다녔다

주전자

펄펄 끓고 있는 주전자
김을 사방으로 내뿜는다

그 뜨거운 김에 손이 닿아
화상을 입었다
손은 쓰라렸다

주변엔 손 식혀줄
차가운 물 하나 없었고
뜨거운 손을 후후 불어댔다

막상 데이고 나니
주전자에게 화가 났지만
결국엔 물을 넣은 건 나인걸
주전자를 미워해도
원인은 나인걸

손이 다시 차가워질 때까지
식혀댈 수밖에

목화

할 때는 그리 가벼울 수 없었는데
돌아오고 나니 그리 무거울 수 없더라

가볍고 하얀 목화솜이
비에 젖어 무거워지는 것처럼

잡초가 아니라 새싹

새싹의 목적은 훌륭히 자라는 것
새싹의 자랑은 파릇파릇함
새싹의 희망은 무궁한 꿈

가끔 잘못 봐서
새싹을 잡초와 혼동하지 말자
새싹을 잡초처럼 밟아야 클 거라는
고목의 상상 따위는
새싹의 목적을 방해할 뿐이니

이제는
새싹들에게 물을 부어주어야 한다
새싹들의 목적과, 자랑과, 희망을
높이 사서 인정해 주어야 한다

위로

오늘따라
기분이 안 좋아 보이는 너에게
해주 고픈 것이 있다

잘하고 있다는 얘기
고마웠었다는 얘기
사랑한다는 얘기
이런 말들이 아니라

그저 들어주고 싶다
때로는 말보다
듣는 것이
더 큰 공감이 되니까

오늘따라
기분이 안 좋아 보이는 너에게
조용히 귀로 위로의 말 해주고 싶다

표현

가끔 우리는
설명하기엔 너무 당연해서
굳이 말하기엔 이상할까 봐
말을 생략하고는 한다

그런데 어떨 때에는
그것이 변질되어
도움을 받고서도 감사하다는 말을
민폐를 끼치고도 미안하다는 말을
생략할 때가 있다

이제는 그러지 말자
당연하지도 이상하지도 않은
그런 말들은
고맙다고 미안하다고
서로에게 표현해 주자

약속 하나

말 한마디의 무거움을 알아야 한다
내뱉는 말 하나하나에 실린 무게를 느끼지 못한다면
당신은 가벼운 사람이 될 테니까

발 한 걸음의 의미를 알아야 한다
내딛는 발 하나하나에 담긴 의미를 깨닫지 못한다면
당신은 이유 없는 사람이 될 테니까

씨앗을 뿌렸으니
물과 빛은 너희들이 주어라
자라지 않는다 하면은
그건 잘못 키운 너희들 책임이니까 같은
말 한마디와 발 한 걸음은

오르기 위한 약속 하나가
끝내 내려가기를 위한 계단이 되는 것일 뿐이니까

변했다는 건

변했다는 건 참 어렵다
너 스스로가 달라졌다 말해도
그 많던 예전의 너를 잊고
지금의 너를 다르게 마주하는 건
참 어려운 일이다

범법자

믿음이라는 법이 있다면
나는 몇 번이나
법을 어겼는지 모른다

엄격하지도 않고
강제적이지도 않은
나는 말랑말랑한
그 법을 몇 번이고 어겼는지 모른다

법으로 연결되어 있던
내 지인들이
한순간에 피해자가 되고
나는 가해자가 되는
그런 일들이 얼마나 많았을까

법은 너무나도 약해서
한 번은 버틸지라도
계속되면 속은 썩어 들어간다

하지만

미안하고 또 미안해 하며
어기고 또 어기는
재범률 높은
이 법을
나는 몇 번이나
어겼는지 모른다

지병

힘이 들어도 별 수 있나
안고 살아야지

가슴 아파도 어쩔 수 있나
품고 살아야지

드러난 게 별로 없다면
들어있는 게 그만큼 많다는 걸
크면서 알게되고
마음 속 많은 걱정 달어두고서
오늘도 속앓이 한다

유산

민들레야 민들레야 울지 말아라

머리카락 노란빛 없어지고
하얀색으로 물들을 때면
넌 마음이
두렵고 무섭겠지만
도움도 안 되어 떠나는 것이
미안하고 아쉽겠지만

넌 하얀빛이 너의 머리를 물들을 때까지
네가 알게 모르게 무슨 일이든 해왔단다
그리고 지금 하늘 갈 준비를 할 때에도
이 세상에 네 흔적 남기려 애쓰고 있잖아

훨훨 네가 날린 씨는 날아가다
어딘가로 정착하여
또 다른 네가 되겠지

그러니까 민들레야 민들레야
울지 말고 웃어라

마음에게 저녁을

간만에 온 가족이 식탁에 둘러 앉는다
식탁 위로 따뜻한 밥과 군침 도는 반찬들
그리고 이야기가 쌓아진다

나의 이야기, 너의 이야기, 우리의 이야기 속에
슬그머니 나와지는
걱정을 씹고
고민을 씹고
행복을 씹고
하루를 씹는다

그렇게 꼭꼭 씹다 보면
불러지고 포근해지는 우리의 마음.
수저를 내려 놓고선
부른 마음을 쓰다듬는다

오늘 저녁식사 끝!
내일은 더 즐거운 하루를 식탁에서 볼 수 있기를

포스트잇

포스트잇을 뗐다가 붙이려 하면
더 이상은 안 붙여져
결국엔 적혀있던 글자도 까먹고 말아.

선선 거리다가

창밖에 무섭게 내리는 비에
달이 높이 걸려 있는 가을 새벽
일찍이 눈을 뜹니다

몽롱한 상태에
천천히 눈뜨며 바라본
창문 밖 그 새벽은
길가엔 지나가는 차 하나 없었고
상점도 문 하나 열려 있지 않았고
가로등 하나만이 빛을 잃은 채
쏟아지는 비를 견뎌내고 있었습니다

울음보 소년은 밤새도록
눈물을 그칠 생각이 없었고
저는 그를 달래줄 사탕 하나 없어
마냥 막막하기만 하였습니다

작은 기도.
내일은 내일은 울음 많은 그 소년이
눈물을 뚝 그치고

새벽에 단풍 싣고 온 바람과 함께
선선 거리다가
해맑게 웃으며 찾아오면 좋겠습니다

나도 해야 하는데

주변에 무언갈 하고 있는
사람들을 보고 있으면
자연스레 '나도 해야 하는데'라는
마음이 물씬 들곤 한다

누군가가 정해놓은 당위 속에
하염없이 헤매는 것 같다

그러나 당위의 진위는 누구든
판단할 수 없다

반드시 해야 함과 안 해야 함의
경계를 단정 지어
머리를 복잡하게
품고 있던 꿈을 잃어버리도록.
그리고 나만의 해야 하는 이 당위가
다른 이의 당위로 사라지는.

잡생각

어떤 사람들은
구름 한 점 없는
하늘을 맑은 날씨라고 말한다

그래도 나는
좀 다르게 생각한다
하얀 구름이 몇 개는
떠다녀야 그게
맑은 날씨가 아닐까 하고.

당신에게도 그런 적이

당신에게도 그런 적이 있었나요
지금 보면 불량 식품 같은 당신에도
새하얀 우유 같던 적이 있었나요
고소해 누구와도 어울리고 부드럽게
순백하였나요
제발 한 번이라도 그런 적 있었다면
다시금 우리에게, 하얗고 부드럽게
반기어 주세요

당신에게도 그런 적이 있었나요
지금 보면 냉동식품 같은 당신에도
뜨거운 호빵 같던 적이 있었나요
달콤해 기분들 좋게 하고 부드럽게
노력하였었나요
제발 한 번이라도 그런 적 있었다면
또다시 우리에게, 뜨겁고 포근하게
안기어 주세요

그래! 당신에게도 그런 적 있었겠지
순백하고 노력하였던 적이.

우물 밖 개구리

마른 우물 바닥에서
목을 하늘로 향해
넋 놓고 있는
나는 우물 안 개구리

우물 밖 세상을 보지 못하고
우물 속 세상만 보는
나는 우물 안 개구리

스스로 나갈 생각을 하지 못하고
누군가 나를
구하기만을 생각하여
펄쩍펄쩍 뛰기만 하는
나는 우물 안 개구리

남들과 비교하고
마음속으로 인정받기를 원하는
나는 우울한 개구리

개구리는 오늘도 생각한다

내일은 누군가 날 꺼내주겠지
자신은 우물 밖 개구리라고.

사라진 과녁

무섭게 날아드는 화살
빠르고도 매섭다

사람은 안 맞추고
땅으로만 화살은 향한다
맞으면 그 사람도 아플 테지만
자식에게 사람을 맞췄다는 충격은 오니까

오고 가는 화살들에
주고받는 화살들에
서로는 자신의 화살들에 희열을
서로는 상대의 화살들에 웃음을
쏠수록 쏘고 싶어 지며
맞지 않을수록 용감해진다

그러나
화살은 무기임을..
쏘다 보면 화살에 사람은 맞게 된다
금방이면 아물
가벼운 상처여도

그렇게
자연스레 깨닫게 된다
화살을 맞힌 사람도
화살에 맞은 사람도
무기를 유희로 이용하는 건 옳지 않음을.

나뭇잎 인사

떨어진다
열심히 피어오다
울긋불긋 붉어오다
이제는 잠시 쉬어가려
부스럭부스럭

떨어진다
봄 꽃들의 인사받고
여름 땡볕 견디다가
가을바람 등쌀 못 이겨
바스락바스락

나는 간다
겨울 구경 못 해보고
땅에 있는 꽃들 보려
지금 천천히 떨어진다

괜히

외로움이라는 저 말을
들어보기는 했는데
보지는 못 했다
아니, 보일 때면 눈을 감았다
괜히 외로워질까 봐

어떤길

목적지를 향해 가는 길은 여러 길이 있다 했다

내가 늘 하던 것을 안 하면 파행(跛行)
내가 늘 안 하던 것을 하면 고행(苦行)
남이 안 하고 있는 걸 하면 기행(奇行)
남이 하고 있는 걸 안 하면 역행(逆行)

난 지금 어떤 길을 걸어 목적지로 가는 걸까
혹시 나 스스로 안 맞는 길을
강행(强行) 하는 건 아닐까?

정의의 정의

내가 생각했던 정의가 정의가 아니니
나는 이제 정의를 뭐라 정의하지

악의는 믿음에서 마음으로
정의는 마음에서 미움으로
결국엔 전해지는 후회

슬픈 겨울

벌써 겨울이려나 보다

길가를 수놓은 트리들과
지나치는 사람들을
가만히 보고 있자니
벌써 외로울 겨울이려나 보다

내 마음속을 텅 비워내
차가운 공기로 채워버리는 걸
천천히 느끼고 있자니
벌써 차디찬 겨울이려나 보다

이뤄낸 것 없이
갑자기 다가온 겨울을 마주하는 건
나를 돌아본다는 핑계로
나를 스스로 채찍질한다는 것 같아

벌써 겨울이려나 보다
이제 다가올 끝이 되려나 보다

끝에서(12월 31일)

어느새 돌아온 끝
겨울 감기에 콜록대고 있다
난 감기 옮을까 봐 노심초사(勞心焦思)
하지만 어김없이 전염되는 겨울감기

아프다 아퍼
마침내 끝에 도달하였을 때는
병을 이겨낼 준비를 해야 하지만
미처 준비 못한 나 자신에게도
아프다 아퍼

후회 없는 마무리란
불가능(不可能)
그저 아쉬웠던 것을 잊은 것뿐
잊고 싶다 나도 잊고 싶다

어쩌면 난 감기가 걸렸을 때가 아닌
감기가 다 나았을 때가
두려

02

공업도시

저희 반 창문을 열면 바로 밭이 있어요
공교롭게도 그 밭에는 식물 하나 찾아볼 수 없군요
그리고 밭 너머에는 커다란 공장 하나가
아니 서너 개가..

그곳들에서 뭘 가꾸는 걸까요?
푸릇푸릇한 새싹?
무지개로 빛을 낸 하늘?
매캐한 냄새의 검은 연기?
거대한 환경오염?
무엇을 재배하든 정말 대단할 거예요.

사실 만든 사람도 잘 모르겠대요
어쩌면 식물은 연기를 마셔야
잘 자란다 생각하고 있는지도 몰라요
그리고 그 식물을 내다볼 수 있는 창문 안에
앞으로 커갈, 또 다른
파릇파릇한 새싹이 있는지도 모르겠대요.

우리가 놓치고 있던 것들

우리는 지금까지 상대가 내놓는
아름다운 말들을 놓치고 있었다

오글거린다는 말로
낭만을 놓쳐버렸고

썰렁하다는 말로
재미를 놓쳐버렸고

약간의 끄덕임으로
예의를 놓쳐버렸다

처음 그 상대는
단순히 고맙다는 말을
미안하다는 말을
조금 다르게 표현했을 뿐인데
그 표현들이 상대의 표현에 잡아 먹히고 있다
그렇게 차례차례, 그 특별했던 표현들은
사라져 간다.

뒷문

나를 만나고 싶다면
진정으로 날 만나고 싶다면
앞문이 아닌 뒷문으로 와줘
아직 앞문으로 오는 것은
예의가 아닌 듯해.

창문 밖으로 슬며시 고개 내미는
나뭇가지의 분홍 꽃잎이
바스락바스락 울긋불긋 단풍 되었을 때쯤

뒷문으로 천천히 들어와서
내가 서 있는 칠판 앞으로
성큼성큼 걸어와서
그때서야 글 하나 적어줘
그럼 난 칠판지우개로 지우지 않고
하얗게 안개처럼 번지더라도,
그래서 언젠가 글을 알아볼 수 없더라도,
그 글로 인해 다른 글 쓸 자리가 도무지 없다 해도
가만히 냅둘게.
아름다웠다 생각할게.

거울

매일 점심
지나치는 그 거울에
나도 모르게 또 발길 멈춘다

거울 속의 나,
그가 내게 말한다

언제까지 이리 살 거냐고
날 보며 느낀 게 없냐고
정말 넌 한심하다고

현실에서의 나,
나는 그가 밉다

괜한 심술에
반듯해 보이는 거울 가슴팍에
지문 꾹꾹 눌러주니

왠지 내 가슴이 아프다
거울 속의 그가 나 같아서.

공업도시 II

나는 길을 건너고 싶은데..
내 앞의 횡단보도는 차가
쌩쌩 매섭게 지나가네

신호등도 없어
초록불인지, 빨간불인지 몰라
어느 때에 건너야 하는지를 잊어버렸네

차들은 멈출 생각을 않고
나는 횡단보도에서 발을 내딛을 듯이
주춤거리기만 하다가
결국 털썩 주저앉아버렸네.

그리곤 멍하니 차들을 향해
생각 없이 웃으며 박수 보내네

알람시계

떨고 있다
나는 지금 엄청나게 떨고 있다
아침시간에 날 깨우려는 알람시계처럼
계속해서 떨고 있다

아 혹시 알람시계도 지금 나 같아서일까
내가 혹여나 일어나지 않을까
두려움에 떨고 있던 게 아닐까
내가 혹여나 다시는 자기를 안 찾을까
무서움에 울고 있던 게 아닐까

나는 지금 알람시계와 같다
친구들이 나를 다시는 안 찾을까
두려움에
알람시계처럼 계속해서 떨고 있다

컵 티라미수

컵 티라미수와 같다
어쩌면 그건

컵 티라미수와 같다
씁쓸한 커피와 달달한 설탕 같은,
포근포근한 빵과 부드러운 크림 같은,
그 위에 흩뿌려지는 코코아 가루 같은 것들이
차례차례 쌓아 같다는 점이 같다

컵 티라미수와 같다
만들기엔 단순하고 쉬워 보여도
맛을 보면 그렇지 않다는 점 또한 같다

그럼 그건 뭘까
행복?
사랑?
우정?
운명?
이런 추상적인 게 아니더라도

내가 지금 쓰고 있는 이 시도,
어쩌면 같을지도 모른다

모든 것이 쌓아지는 컵 티라미수와 같이.

책갈피

삶과 인생은 다른 점이 하나 있대요
삶은 앞으로 어떻게 될지 모르지만
책은 갈피를 잡을 수가 있대요.

삶은 갈수록 점점 가물가물 해져
전의 일이 어떻게 됐었는지 모르지만
책은 전에 봤던 페이지를 다시 찾아낼 수 있대요.

아 삶에도 책갈피가 있음 얼마나 좋을까
자꾸만 놓치게 되는 추억들
다시 볼 수 있음 얼마나 좋을까

책갈피를 가진 사람은 정말 행복하겠지.
삶에서는 종잡을 수 없는 갈피를
책에서라도 찾을 수 있으니

Down다운

너가 말했지

너는 너다운 행동을 하라고
학생이면 학생다운 삶을 살라고
사람이면 사람다운 생각을 하라고
17살이면 17살 다운 일을 하라고

너가 자꾸 그런다면
난 정말 다운돼서
저 땅 밑으로 꺼져 버릴지도 몰라

가장 큰 거짓말

오늘은 만우절.
그렇지만 거짓말 하나 없이
일상과 다를 바 없는 하루였다

야자가 끝나고
통학버스가 집에 도착해
집까지 얼마 되지 않는 거리
무언가 헛헛해 하늘을 보니
매연에 가려져 별 하나 없네
아, 오늘 만우절이었지?... 하고는

3년 전 오늘, 거짓말처럼 돌아가신 할머니
갑자기 생각나네
벌써 3년이나 되었나 하며......

눈물은 나오지 않았다
눈물은 그때 다 흘렸나 보다
다만 좀 추울 뿐이다
마음이 시립자 거짓말이 생각났다
나 스스로 오늘 하루는 안 했을 거라 했던.

다 알고 있었으면서 모른척했던 것.
하늘에 별이 보이면서 애써 눈감았던 것.
이제서야 생각난다며 헛웃음 지었던 것.

거짓말이어라
오늘은 만우절이니
이 모든 게 거짓이어라
내일이면 모든 게 진실이어라

내년에 또 봐요.
거짓말처럼.

소나무

무너진 듯, 무너질 듯 소나무,
위태로이도 올곧게 소나무,
변함없이 청록색의 소나무.

소나무야 결국에 네가
우당탕탕 넘어질 때
넘어진 게 아니라 누운 거라고
눈 감은 게 아니라 쉬는 거라고
그렇게 생각할게
옆에서 훨훨 나는 나비가 될게
내가 넘어질 때까지.

내일이 오지 않길 바라며

내일이 오지 않았음 한다
일어나고 싶지 않다
토요일에 왜 억지로 공부를 해야 하는지
잠을 깎아가며 문제 하나 더 풀어야 하는지
별로 알고 싶지가 않다

내일이 오지 않았음 한다
말 그대로의 무책임한 말이 아니라
오늘을 제대로 마무리할 줄도 모르면서
오지 않은 내일을 준비해야 하는 것이 힘들다

살짝 웃으며 말하자면..
오늘을 잃고 싶지 않아 그런다
오늘의 다짐이나
오늘의 행복들을 잃게 될까 그런다

해야 죽어라
어릴 땐 너만 보며 하루를 마쳐도 되었지만
이제는 밤도 봐야 하니 괴롭구나
차라리 눈 아프지라도 않게

아침에 인사하는 너를 보며
시계를 확인하며 열이라도 받지 않게
해야 죽어라

내일아 오지 마라
오늘도 안 갔지만.
내일아 진정 네가 오고 싶다면
억지로라도 웃으며, 그렇게라도 와라

생각 쪼개기

공부 잘하는 애를 옆에서
가만히 보고 있자니
자연스레 생각 든다

어쩜 저리 시간을 잘 쪼갤까
혹시 사과도 잘 쪼갤까
내 성적 보고는 쪼개는 거 아닐까

나도 저렇게 잘 쪼개야 하는데
되도 않는 속 넣고 봉합하기를 하고 있다

방랑개비

죽어가는 소년들의 얼굴을 봤나요
초점 없는 눈에
딴짓을 하고 있어 보이지만
결국엔 그들은 다 똑같습니다

마치 바람개비처럼,
마치 바람개비와 같이
누구보다도 자유로워 보이지만
바람들에 둘러 싸여 빙빙 도는 모습이
마치 그러합니다

소년들은 크게 입 벌리고선
기지개를 폅니다
그 누구보다도 길게 뻗는 모습이
구조 요청을 하는 것 같습니다
하지만 아무도 보지 않으려 눈 감습니다

언젠가 그럴 수 있을까요?
바람개비 가슴중앙에 박힌
압정 빼내고선

방랑개비가 되어
자유로이 하늘 날 수 있게,
그리 할 수 있을까요?

강화(强火,花)

열정을 태우고
감사함을 태우고
빈곤한 상상을 태우고
얄량한 지식마저 태우고
이 한 몸 불사 지른다

크든 작든 마음속의
붉은 꽃 시들까 봐
시들면 다시는 못 피울까
그래서 그런다

설령 착각해서
물에 젖은 장작을
넣었다 하더라도
그래서 검은 연기만 주구장창
나온다 하더라도
괜찮다 할게
물에 젖은 장작도
따뜻한 불길 속에서는
서서히 타오를 테니까

피 먹는 사람

밤을 샌다
잠이 샌다
새다 못해 줄줄 흐른다
강이 된다
그 강을 한 모금 마시고
잠을 버틴다
고등학생은 그러하다

우산통(痛)

비 오는 날
세상 모든 슬픔이 거기에 있다
우산통.
우산들의 아픔 묻어있는
우산痛.

우산들은 아침부터 우울하며
통 안에서 계속해서 서 있다
다리가 저려도,
몸에 묻은 물 때문에
녹이 슬어도,
그것이 우산.

힘들단다, 아프단다
빗물인지 눈물인지 분간이 안될 정도로
우산에서는 물이 뚝뚝 흐른다
주인 잃은, 10년 된 우산이라면 더더욱.
제발 아무라도 좋으니 써달라고
오랜만에 우산들의 눈물 아닌
바깥의 진짜 비 맞아 보고 싶다고

울부짖는다

눈물이 메말라 나오지도 않을 때,
그제야 주인들이 하나씩 우산을 가져간다
하지만 몇몇은 잊어버리고,
그렇게 묵혀진다
추억 정도로 먹혀진다

그리고 자동우산들은 잘 보이지도 않을
비 오는 창문 밖의,
뻐근하다는 듯이 기지개 쭉 피고선
다정히 손 잡으며 비 맞는
우산들과 주인들을 보며
남은 우산들은 울부짖는다
하소연한다
내일은 제발 날 데려가달라고.

몽당연필

깎아
깎아 버려
내 몸이 전부 사라져도
깎아, 깎아서
네 종이를 빽빽이 채워

갉아
갉아먹어
내 몸이 점점 흩어져도
갉아, 갉아서
책상을 검게 어지럽혀

날 부서지게.
잔인하다 생각 말고
양심 하나 없는 사람처럼
촉을 단단히 세워
맘껏 휘갈겨
닳고 또 닳도록.

내일은 아마도

내일은..아마도
비가 오려는 모양입니다

아직 기상예보 확인도 안했지만

밤길을 이렇게 걸으며,
식물들의 축축한 냄새가 맡아지니
별도 달도 옅게라도 보이지 않으니
바람이 서늘하게도 춥게 오는걸 보니
비가, 비가 오려나 봅니다

찰박찰박 소리를 내어 걸어가며,
이미 비는 내렸을지도 모르겠습니다
나를 양보하느라 짧게 나들이 온걸지도요
내일도 그래준다면 참 좋을텐데...
새벽 이슬로만 맺혀 있다면 정말 행복할텐데.,.

되지도 않는 바람 해보다가,
축 늘어진 아직 피지도 않은 벚꽃나무 잎사귀
만지려 손 쭉 뻗어 보니

내일은..아마도
해가 뜨지 않으려는 모양입니다

이차방정식

표현할 수 없는 말들을
삶이라 치환하고
두 개의 식으로 쪼갠 다음
그저 가만히 냅둔다

하지만 그 식은 영원히
완전한 곱들로 나타낼 수 없다
대입을 해야 하는데
원래 무슨 말인지도 몰랐으니까

그리고 그렇게
또 하나의 안 풀린
그저 하나의 미지수로,
삶이란 형태로 굳어 버린 채
내면의 이름 모를
궁금증만 쌓여간다

영일에서

처음 이곳에 왔을 때
난 그들의 말을 이해하지 못했다
010101010101....
내가 알 수 없는 언어였기에
추측할 수 조차 없었다

그런데 뭐랄까
조금 지나 보니
귀에 익다.
그렇다고 아직
010101010101.... 이
도대체 뭔지 해석하지는 못했지만..
잘 들어보면 이젠
0 정도는 알 것 같다

혹시 모른다
내가 곧
듣는 걸 넘어서
01010101010이 뭔지 알아내어
그들과 자유롭게 소통할 날이 올지

-시인의 말-

짧은 시집 읽어주셔서 감사합니다.
이 시집은 전체적으로 보면
중학교 3학년이었던 제가
고등학교 1학년이 되기까지의
일어나는 사소한 생활의 이야기들을
시로 지어 엮어낸 것입니다.
그래서 '02 영일에서'를 보면
대부분이 적응에 관한 내용입니다.
또한 좀 세상을 암울하게 표현하고 있죠.
실제 저도 그 시들을 적을 때 기분이 그랬답니다.
하지만 마지막 시인 '영일에서'에서 나타나듯
현재는 완벽까지는 아니지만
조금은 적응하고 이해하게 되었습니다.
정말 다행이지요?
그렇게 그렇게 그곳을 적응하기 힘들어
고생했던 제가 그곳을 받아들이고 긍정적으로
산다는 것이.
인간은 역시 적응의 동물이에요!
아.. 적다 보니까 두서가 없이 막 말해버렸네요.
이래서 저는 긴 글을 쓰면 안 됩니다.
금방이라도 주제를 잃고 난항 하거든요.
그럼 저는 더 적응한 모습으로
앞으로도 계속 열심히 쓰겠습니다. 그럼 이만..